LUDWIG VAN B

2 ROMANCES

for Violin and Orchestra
G major/G-Dur/Sol majeur
Op. 40
F major/F-Dur/Fa majeur
Op. 50

Ernst Eulenburg Ltd
London · Mainz · Madrid · New York · Paris · Prague · Tokyo · Toronto · Zürich

Ernst Eulenburg Ltd

10
Fl.
Ob.
Fg.
Cor. (G)
Vl. pr.
Vl.
Vla.
Vc. B.
p
cresc.
pizz.
f
ff
sf
arco

20
Fl.
Ob.
Fg.
Cor. (G)
Solo.
Vl. pr.
Vl.
Vla.
Vc. B.
p

Fl.
Ob.
Fg.
Cor.
(G)
Vl.
pr.
cresc.
p
Vl.
Vla.
Vc.
B.
80
unis.

Fl.
Ob.
Fg.
Cor. (G)
Vl.
Vl.
Vla.
Vc. B.
pizz.

40
Fl.
Ob.
Fg.
Cor. (G)
Vl. pr.
Vl.
Vla.
Vc. B.
p
cresc.
arco
Solo.

50
Fl.
Ob.
Fg.
Cor. (G)
Vl. pr.
Vl.
Vla.
Vc. B.
cresc.
unis.
p
f
ff
sf

Fl.
Ob.
Fg.
Cor. (G)
Solo.
Vl. pr.
Vl.
Vla.
Vc. B.
60
sempre stacc.

Fl.
Ob.
Fg.
Cor.
(G)
Vl.
pr.
Vl.
Vla.
Vc.
B.
Fl.
Ob.
Fg.
Cor.
(G)
Vl.
pr.
sf
Vl.
Vla.
Vc.
B.

70
Fl.
Ob.
Fg.
Cor. (G)
Vl. pr.
sempre stacc.
Vl.
Vla.
Vc. B.

Fl.
Ob.
p
Fg.
Cor. (G)
p
Vl. pr.
sf
sf
Vl.
pizz.
sf
pizz.
sf
Vla.
pizz.
sf
Vc. B.
pizz.

Fl.
Ob.
Fg.
Cor. (G)
Vl. pr.
arco
Vl.
Vla.
Vc. B.
p

80
Fl.
Ob.
Fg.
Cor.
(G)
Vl.
pr.
Vl.
Vla.
Vc.
B.
f
cresc.

Fl.
Ob.
Fg.
Cor. (G)
Solo.
Vl. pr.
Vl.
Vla.
Vc. B.
90

Romance in F major

Fl.
Ob.
Fg.
Cor. (F)
Vl. pr.
Vl.
Vla.
Vc. B.
10
tr

803-2

Fl.
Ob.
Fg.
Cor. (F)
Vl. pr.
Vl.
Vla.
Vc. B.
20
a 2.

Fl.
Ob.
Fg.
Cor. (F)
Vl. pr.
Vl.
Vla.
Vc. B.
a 2.

30
Fl.
Ob.
Fg.
Cor. (F)
Vl. pr.
Vl.
Vla.
Vc. B.
Fl.
Ob.
Fg.
Cor. (F)
Vl. pr.
Vl.
Vla.
Vc. B.

Fl.
Ob.
Fg.
Cor. (F)
Vl. pr.
Vl.
Vla.
Vc. B.
unis.
Fl.
Ob.
Fg.
Cor. (F)
Vl. pr.
Vl.
Vla.
Vc B

40
Fl.
Ob.
Fg.
Cor.
(F)
Vl.
pr.
Vl.
Vla.
Vc.
B.
Fl.
Ob.
Fg.
Cor.
(F)
Vl.
pr.
Vl.
Vla.

Vc.
B.

50
Fl.
Ob.
Fg.
Cor.
(F)
Vl.
pr.
Vl.
Vla.
Vc.
B.
tr
tr
tr
tr

Fl.
Ob.
Fg.
Cor. (F)
Vl. pr
Vl.
Vla.
Vc. B.
60
f

Fl.
Ob.
Fg.
Cor. (F)
Vl. pr.
decresc.
Vl.
Vla.
Vc. B.
Fl.
Ob.
Fg.
Cor. (F)
Vl. pr.
p
Vl.
Vla.
Vc. B.

Fl.
Ob.
Fg.
a 2
Cor.
(F)
fp
Vl.
pr.
Vl.
Vla.
Vc.
B.

70
Fl.
a 2.
Ob.
Fg.
Cor.
(F)
f
ff
Vl.
pr.
Vl.
Vla.
Vc.
B.

Fl.
Ob.
Fg.
Cor. (F)
Vl. pr.
Vl.
Vla.
Vc. B.
Fl.
Ob.
Fg.
Cor. (F)
Vl. pr.
Vl.
Vla.
Vc. B.

Fl.
Ob.
Fg.
Cor. (F)
Vl. pr.
Vl.
Vla.
Vc. B.
80

Fl.
Ob.
Fg.
Cor. (F)
Vl. pr.
Vl.
Vla.
Vc. B.
Fl.
Ob.
Fg.
Cor. (F)
Vl. pr.
Vl.
Vla.
Vc. B.

Fl.
Ob.
Fg.
Cor.
(F)
Vl.
pr.
Vl.
Vla.
Vc.
B.
90
pp
pp

Fl.
Ob.
Fg.
Cor. (F)
Vl. pr.
Vl.
Vla.
Vc. B.
f
p

Fl.
Ob.
Fg.
Cor. (F)
Vl. pr.
Vl.
Vla.
Vc. B.
100
calando